TESOROS DEL MAR

Seis cuentos

Texto: Katiuscia Giusti

Traducción: George Gubbins Vásquez y Felipe Poveda Zavala

Ilustraciones: Agnès Lemaire. Color: Doug Calder

Título original: *Ocean Treasures*

ISBN de la edición original: 3–03730–096–5

ISBN de la versión en castellano 13: 978-3-03730-102-9

ISBN de la versión en castellano 10: 3-03730-102-3

http://es.auroraproduction.com

A ver si consigo un amigo

—Abuelito, estoy listo. ¿Qué vamos a leer esta noche?

El estruendo de piececitos bajando por la escalera resonó por toda la casa. De pronto apareció Tristán en pijama, ansioso por leer un cuento con su abuelo.

Se encaramó a las rodillas del anciano y no paró de moverse hasta que encontró una postura cómoda.

–«En el fondo del mar...» –comenzó a leer el abuelo.

Había una vez una sirenita llamada Camila. Tenía el cabello largo y suelto, negro como el azabache, y la cola cubierta de escamas que despedían reflejos morados, verdes y azules.

Sin embargo, en cierto modo Camila era distinta de las demás sirenas: era muy pequeña, más que ninguna.

Sus papás la querían mucho. Vivían en el reino submarino de Sabalia.

El reino de Sabalia era hermoso. Estaba gobernado por el rey Ortán y la reina Saría, ambos bondadosos y prudentes. Todas las sirenas y los tritones vivían juntos en un magnífico castillo submarino.

El lugar del castillo que más le gustaba a Camila era la torre. Allí se sentaba a cantar sus canciones preferidas y a observar todo lo que sucedía más abajo.

Sus mejores amigos eran Augusto, un caballito de mar, y Guido, un cangrejo. En un arrecife cercano tenían un escondite que nadie más conocía. Siempre que estaban juntos se reían mucho y lo pasaban muy bien.

Un día en que Camila se sentía sola porque Guido y Augusto no habían podido ir a verla fue nadando hasta su puesto de observación y se puso a cantar una cancioncilla para animarse. Normalmente aquello le daba resultado, pero aquel día no.

Al mirar hacia abajo, vio que en el gran castillo estaban colgando adornos y preparando comida para una celebración. Todo el mundo andaba ocupado.

«Estoy cansada de ser tan pequeña –se dijo–. ¡Ojalá fuera como las demás sirenas! Así podría ayudar con los preparativos».

Se puso a llorar. «Aparte de Augusto y de Guido, nadie quiere estar conmigo. Además, siendo tan pequeña, nunca podré hacer nada por los reyes».

A lo lejos se alzaba un gran banco de coral salpicado de vivos colores y habitado por diversos peces y otros animales marinos. Había en particular un pequeño góbido que andaba solo y parecía desorientado. Se llamaba Gobi.

Solía esconderse entre el coral, con lo que casi no se le veía. Se ocultaba porque era muy tímido.

«¡Cómo me gustaría tener amigos! –suspiraba–. Pero no tengo a nadie. No sé quién querría ser amigo mío. ¿Cuál puede ser el atractivo de ser amigo de un pececito como yo?»

De pronto escuchó en la lejanía mucho alboroto. Provenía del castillo subacuático.

«¿Qué sucederá en el castillo? –pensó–. Tal vez debería darme una vuelta para echar un vistazo».

Mas al salir del arrecife topó con don Ramón, el viejo pez globo.

–Disculpe, don Ramón –balbuceó.

–Anda con más cuidado, Gobi –contestó don Ramón.

–Lo siento –dijo el pececito.

–Y ¿adónde vas con tantas prisas?

–Escuché ruidos procedentes del castillo. ¿Usted sabe qué está pasando?

–Tengo entendido que el príncipe Cadis celebra su quinto cumpleaños. Todo el reino participa en los preparativos. ¿Vas a ir a ver el espectáculo? –le preguntó don Ramón.

–No sé si puedo.

–Claro que sí. ¿No te enteraste? E...
todos los peces y demás animales ma...
zona. Tú también.

–Iré solo a echar una mirada. No cr...
quede.

–¿Por qué no?

–Porque no sabré qué hacer y probablemente me sentiré fuera de lugar.

…na pausa, el viejo pez globo sonrió, movió …etas y exclamó:

–¡Vamos, Gobi, los amigos no se aparecen así como así, como caídos del cielo! ¡Tienes que salir a buscarlos!

–Pero es que yo no sé hacer amigos –respondió el pececito.

Don Ramón se rió.

–No te preocupes, hombre. Simplemente sé amable y simpático. ¡Verás que tu amabilidad y simpatía se les contagiará a los demás y querrán ser tus amigos!

–Gracias por el consejo, don Ramón –dijo Gobi, y echó a nadar hacia el castillo.

Por el camino oyó risas y voces alegres. Se sintió muy tímido y se dirigió rápidamente a la torre para apartarse del gentío. Al llegar a lo alto se encontró a una sirenita llorando, sola.

Gobi decidió marcharse enseguida. «¡Seguro que no quiere que la molesten en estos momentos!», pensó. No obstante, con las prisas por irse derribó de un coletazo un estante, el cual cayó estrepitosamente.

¡PATAPAF!

¡PUM!

Al girar la cabeza, Camila vio a un pez de vivos colores que se alejaba a toda velocidad. Curiosa, lo siguió.

–¿Quién eres? –le preguntó al alcanzarlo.

Gobi se dio la vuelta.
–Este... ¿yo?
–respondió con una vocecilla tímida.

Camila se rió.

–Sí, tú.

–Gobi –respondió.

–Encantada de conocerte.

–Igualmente –dijo él cobrando ánimo–. Siento haber armado un desastre.

–No te preocupes –contestó ella–. Yo también suelo chocar contra ese estante. Podemos recoger juntos lo que se cayó.

Gobi seguía muy cohibido, pero se acordó de lo que don Ramón le había dicho y decidió intentarlo.

–¿Vienes seguido a la torre? –preguntó.

–Es mi lugar preferido –contestó ella–. Nunca te había visto aquí. ¿Habías venido antes?

–Sí, pero hace tiempo.

–Tiene una vista estupenda –añadió Camila mirando por encima de la baranda–. Desde acá uno ve todo lo que ocurre en el castillo.

Los dos se quedaron observando a la gente que iba y venía.

–¿Por qué no estás allí con todo el mundo? –preguntó Gobi.

Camila bajó los ojos.

–Es que... ¡mira lo pequeña que soy comparada con los otros! Encima soy medio torpe, y más un estorbo que otra cosa. A veces se ríen de mí.

–No eres tan pequeña –repuso él–. Yo tampoco soy grande.

–¡Camila, Camila!

Dos voces resonaron en la torre.

–¿Quiénes son? –preguntó Gobi.

–¡Augusto y Guido! –respondió Camila–. Ven, Gobi, quiero que conozcas a mis amigos.

–Veo que estás acompañada –comentó Guido.

–Les presento a Gobi –dijo Camila sonriendo–. Nos acabamos de conocer. ¿Qué les parece si hacemos algo todos juntos?

–¡Claro! –contestó Augusto con entusiasmo–. Cuantos más, mejor.

Gobi ya no se sentía triste ni solo. «¡Don Ramón tenía razón!», pensó. Al detenerse a conversar con Camila había ganado varios amigos.

–A mí me gusta hacer amigos –reflexionó Tristán cuando su abuelo cerró el libro.

La amistad es un don de Dios.
Al abrirnos a los demás, hacemos amigos y hallamos felicidad.

El bajón de don Ramón

¡Ding, dong!

–Hola, Damián –dijo el abuelo Diego al abrir la puerta de la casa–. ¿Vienes a ver a Tristán?

–Sí, quiero que conozca a mi amiga Chantal.

–Pasen –dijo el anciano–. Voy a avisarle.

Subió las escaleras y se asomó a la habitación de su nieto.

–Ha venido a verte Damián –anunció–. Ha traído a una amiga.

—¿No pueden venir en otro momento? —preguntó Tristán—. Ahora no tengo ganas de ver a nadie.

El abuelo entró en la pieza, cerró la puerta y se sentó en la cama.

—¿Ha pasado algo que me quieras explicar?

—No —contestó Tristán—. Es sólo que ahora mismo no me apetece hacer nuevas amistades.

—Ya veo. Eso me recuerda un cuento sobre don Ramón. ¿Quieres que te lo cuente?

—Sí, claro.

—¿Qué te parece si invitamos también a Damián y a Chantal? —preguntó el abuelo.

—Está bien —contestó el niño.

Gobi se adelantó para buscar a don Ramón. Estaba ansioso por presentarle a su nueva amiga, la sirena Camila, ya que había sido gracias a los buenos consejos del viejo pez globo que se había hecho amigo de ella.

–¡Don Ramón! –gritaba Gobi yendo y viniendo por el arrecife.

«Creo que ya sé dónde está», se dijo.

Efectivamente, lo encontró en cierto rincón del banco de coral. Se le veía cabizbajo.

–¡Por fin! –exclamó el pececito–. Lo he estado buscando por todas partes.

–Y ¿por qué? –preguntó el pez globo de mal humor.

–Porque quiero presentarle a Camila –contestó Gobi–. ¿Recuerda que le dije que había conocido a una sirena?

–No estoy para visitas –sentenció don Ramón.

–¿Pasa algo?

–¡No! –respondió el pez globo–. Como te dije...

–¡Gobi! ¡Gobi! ¿Dónde estás?

Era la voz de Camila. Don Ramón suspiró. En ese momento se asomaron un par de ojos al rincón donde estaba don Ramón.

–¡Hola! –exclamó Camila alegremente–. ¿Estaba escondido?

Don Ramón frunció el ceño.

–¿Para qué la trajiste? –le susurró enojado a Gobi.

–Lo siento –se disculpó el pececito–. Es que venía detrás de mí.

Camila se sentó cerca del pez globo.

–¿Es usted don Ramón? –preguntó sonriente.

–Así es –refunfuñó éste.

–¡Encantada de conocerlo! Mire qué concha tan bonita he encontrado. Se la regalo –dijo con simpatía.

El pez globo permaneció callado.

–Tal vez podemos venir en otro momento –propuso Gobi–. Don Ramón dice que ahora mismo prefiere estar solo.

–¡Lo siento! –dijo Camila, volviéndose otra vez hacia el pez globo–. ¿Hay algo que lo ha puesto triste?

–¿Por qué será que todo el mundo piensa que me ha pasado algo? –preguntó don Ramón enojado–. ¡Lo único que quiero es que me dejen tranquilo!

Luego se quedó callado, con cara de mal humor.

Gobi miró a Camila, la cual se encogió de hombros. Ambos se sentían mal por el hecho de que don Ramón estuviera deprimido y querían hacer algo para que recobrara el ánimo. Pero ¿qué?

Don Ramón se avergonzó un poco de su actitud.

–Siento haber sido tan antipático –dijo–. La verdad es que hoy las cosas no me han ido nada bien. Estoy muy gruñón.

–A mí a veces me pasa lo mismo –reconoció Camila.

–¿Qué haces para recuperar el buen humor? –preguntó el pez globo.

–Mi papá me enseñó una vez unos versos y me dijo que los recordara siempre que me fueran mal las cosas, porque me ayudarían a sentirme bien.

A continuación los recitó dulcemente:

–Cuando me sienta deprimida,
meditaré en el amor
y en lo bueno de la vida,
y espantaré el mal humor.

–¡Qué bonitos! –exclamó Gobi.

–Y ¿eso da resultado? –preguntó don Ramón.

–Sí. Se trata de pensar en todo lo bueno que uno tiene –explicó la sirena–. ¿Quiere que lo probemos?

–De acuerdo. ¿Cómo se hace?

–Yo empiezo. Estoy contenta de poder disfrutar del agua refrescante del mar –manifestó Camila–. Gobi, te toca a ti.

–Yo me alegro de vivir en un arrecife tan bonito –dijo el pececito.

–Mmm... a ver –musitó don Ramón–. Yo estoy contento con mi rincón favorito en el banco de coral.

Nuevamente le tocaba a Camila.

–Yo siento alegría

cuando pienso en las personas que me quieren.

–Yo me alegro de tener amigos con los que cualquier cosa se vuelve mucho mejor –anunció Gobi.

–Yo me alegro por la oportunidad de hacer nuevas amistades –dijo tímidamente el pez globo; y añadió–: Gracias por animarme. Tenía la moral por los suelos, pero me siento bastante mejor luego de repasar algunas de las cosas buenas que disfruto.

–Yo también –admitió Gobi.

Camila sonrió.

–Me alegro mucho de que ahora se sientan más animados. ¡Me gusta hacer felices a los demás!

–Hagamos algo juntos –propuso Gobi.

–Tengo una idea –dijo don Ramón–. No muy lejos de aquí hay un viejo barco hundido. ¿Quieren que vayamos a explorar?

–¡Qué emocionante! –exclamó Camila.

Y los tres emprendieron el camino, ilusionados con la aventura y más que nada contentos con aquella oportunidad de hacerse más amigos.

–Me gustan los cuentos de sirenas –comentó Chantal cuando el abuelo cerró el libro.

–El abuelo Diego conoce muchos cuentos interesantes –explicó Damián.

—Mi mamá dice que son especiales —añadió Tristán.

—Y ¿saben por qué? —preguntó el abuelo.

Los tres niños negaron con la cabeza al tiempo que exclamaban:

—¡No!

—Porque contienen enseñanzas importantes. En este cuento, ¿qué aprendió don Ramón?

Tristán bajó tímidamente la vista.

—Yo creo que aprendió a estar más feliz y animado —respondió Chantal.

—Y tú, Damián, ¿qué crees que aprendió? —preguntó el abuelo.

—Que no hay que ponerse tan malhumorado —contestó Damián.

—¿Y tú, Tristán?

—Cuando don Ramón empezó a pensar en cosas buenas —dijo Tristán—, se le olvidó por qué estaba

tan gruñón y pudo hacerse amigo de Camila.

—Excelentes respuestas —dijo el abuelo.

—¿Quieren venir a mi cuarto para que les enseñe mis juguetes? —preguntó Tristán a Damián y a Chantal.

—¡Sí! —contestaron los dos.

—Perdón por haber estado antipático antes —se disculpó Tristán—. Me alegro de que podamos hacernos amigos, Chantal. Y me alegro de que tú, Damián, ya seas mi amigo.

Moraleja
¡Mira
el lado
bueno de las cosas!
Anímate y recuerda
todo lo que tienes y
todas las personas que
te quieren. Así te
sentirás mejor.

La mentira de Elvira

Era domingo por la tarde, y Tristán había invitado a su casa a sus amigos Damián, Tomás y Chantal.

–¿Cómo va? –preguntó el abuelo Diego cuando pasó delante de la habitación en la que estaban.

–Muy bien –respondieron los cuatro niños al unísono sin dejar de jugar.

–Abuelo Diego –dijo de pronto Chantal–, ¿es verdad que Tristán es el niño más listo que usted conoce?

–¿Por qué habría de serlo? –preguntó curioso el anciano.

–Él dice que usted se lo dijo –respondió ella.

–Abuelito –interrumpió Tristán–, ¿recuerdas que una vez me pusieron unas tareas muy difíciles en el colegio, pero igual las hice, y me dijiste que era muy inteligente? ¡Dijiste que era el niño más listo que conocías!

–Recuerdo haber dicho que eras muy inteligente –explicó el abuelo Diego acariciándose la barba–. Ahora bien, tanto como el niño más listo que conocía... mmmm, no recuerdo haber dicho eso.

»A veces queremos mejorar nuestra imagen porque nos parece que así les caeremos muy bien a los demás. Pero a nuestros amigos les gustamos tal como somos.

»Había una vez una estrella de mar que creyó que tenía que ser excepcional para que sus amigos la quisieran».

–¡Cuéntanos esa historia, abuelo, por favor! –le rogaron los niños entusiasmados.

Tristán, Damián, Tomás y Chantal recogieron los juguetes y arreglaron la sala mientras el abuelo iba a buscar su libro de cuentos.

–¿Están todos listos? –preguntó el anciano.

–Casi –respondieron los cuatro buscando una posición cómoda.

Misteriosas estrellas
centellean en la noche.
¡De qué forma tan bella
se adorna el cielo de noche!
¿Sabes por qué
resplandecen en la noche?
¡Yo lo sé!
Dios quiso hacer bonita la noche.

—Mi mamá me enseñó esa poesía —dijo Augusto—. Cada noche, antes de dormirme, le pedía que me la recitara.

—Es muy linda —comentó su amiga Elvira, una estrella de mar.

Los dos amigos descansaban sobre una roca, escuchando el sonido de las olas que rompían contra el acantilado y observando el resplandor de las estrellas.

—¿Sabías que yo antes era una estrella del cielo? —se jactó Elvira.

—Lo que quieres decir es que te habría *gustado* ser una, ¿no? —preguntó el caballito de mar.

—No, ¡yo *era* una estrella del cielo! —insistió Elvira.

—Y ¿qué pasó? ¡Tienes que contármelo!

–Mmm... bueno...
–vaciló ella.

Su única intención había sido impresionar a su amigo. Pero ahora no sabía qué hacer, si inventarse una historia o reconocer la verdad.

«Si ahora le digo la verdad –pensó–, ya no le gustaré. Me verá como una fea estrella de mar sin ningún atractivo. Quizá ya no quiera ser mi amigo».

–Entonces, ¿me lo vas a contar? –preguntó Augusto ansioso.

–Antes de conocerte –empezó Elvira–, yo era una estrella muy, muy lejana. No era una estrella normal. Tenía diversos colores. A veces despedía una luz blanca, pero podía cambiarla a azul, rojo, amarillo o verde.

–¡Vaya! ¡Debía de ser sensacional! –exclamó él–. Y ¿qué pasó?

–Resulta que algunas estrellas me tenían celos porque no podían cambiar de color como yo. Así que se reunieron para ver una manera de deshacerse de mí.

–¡Qué horror! –soltó Augusto con cara de preocupación.

–Un día yo estaba brillando como de costumbre cuando esas estrellas decidieron echarme del cielo de una vez por todas. De repente, ¡plam!, me embistieron. Perdí el equilibrio y me vine abajo. ¡Fue escalofriante! Por fin, después de una caída larguísima, hice ¡plaf! en el agua y me hundí hasta el fondo del mar.

»Cuando recobré el sentido y me miré, descubrí que ya no era una estrella resplandeciente, capaz de emitir luz de diversos colores, sino una simple y pálida estrella de mar. Y eso he sido desde entonces».

–¡Qué triste! –comentó el caballito de mar–. Pero te aseguro que aunque ya no seas una estrella del cielo, yo nunca te he considerado aburrida o fea. Siempre me has gustado tal cual eres. De todos modos, siento mucho lo que te pasó.

–No te preocupes –dijo Elvira–. Ya me estoy acostumbrando a ser una estrella de mar.

Aquella noche Elvira se acostó inquieta en su cama de coral.

«No hubiera debido contarle todo eso a Augusto –se dijo–. No era verdad, pero él se lo creyó. ¿Qué pasará si se lo cuenta a alguien? ¿Qué voy a hacer?»

—Entonces las estrellas malas embistieron a la pobre Elvira y la hicieron caer desde lo alto –explicó Augusto a don Ramón y a Gobi–. Y cuando llegó al agua, ¡se había convertido en una estrella de mar! –terminó.

Gobi miró a don Ramón y meneó la cabeza.

–Según lo que me ha enseñado mi mamá, las estrellas de mar nacen siendo estrellas de mar. No es que antes fueran estrellas del cielo.

–Así es –confirmó don Ramón.

–Hablen ustedes mismos con ella –protestó el caballito de mar.

Así pues, los tres amigos se fueron a buscar a Elvira.

–Ahí estás –exclamó Augusto cuando la encontraron.

–Eh... hola –contestó tímidamente Elvira.

–Augusto nos contó tu historia –explicó el viejo pez globo–, y nos quedamos pensando si sería verdad, porque siempre nos han enseñado que las estrellas de mar son simples animales marinos como cualquier otro.

–Pues... yo... –balbuceó Elvira muy nerviosa.

–Tú me lo contaste –intervino el caballito de mar–. Diles que es cierto.

«¿Qué hago? –se preguntaba Elvira presa del pánico–. ¿Reconozco que me lo inventé, o insisto en que es verdad? No hubiera debido contar esa patraña. Quizá nunca más van a creer nada de lo que diga».

Reflexionó un instante y resolvió que era mejor decir la verdad que embrollar más la historia.

–Augusto, te pido disculpas –comenzó diciendo.

–¿Cómo? –preguntó Augusto.

–Nunca he sido una estrella del cielo. Siempre he sido una estrella de mar. Me parece que no tengo ningún atractivo. No tengo colores muy vivos ni nado con gracia como los peces. Quería que vieras en mí algo fuera de lo corriente, y se me ocurrió que de esa forma te caería más simpática.

–Pero si ya me caes simpática –declaró el caballito de mar–. Eres mi amiga, y eso es lo único que me importa.

–¿De veras?

–Claro. ¿Qué más da de qué color seas o que no sepas nadar? Me gustas tal cual.

–Y a nosotros también nos gustas –agregó Gobi.

–Todos somos diferentes –explicó don Ramón–. Cada uno tiene sus particularidades que lo distinguen y le dan su carácter único.

–Es cierto –admitió Elvira–. Les pido perdón. Prometo que no volveré a inventar historias así. Me alegro mucho de tener amigos como ustedes.

–Y nosotros nos alegramos de que seas nuestra amiga –respondieron Gobi, don Ramón y Augusto.

Seguidamente, los cuatro amigos se alejaron del lugar, felices de tenerse unos a otros.

¡Ding, dong!

–Deben de ser sus padres que los vienen a buscar –señaló el abuelo cerrando el libro.

–Gracias por el cuento –dijo Damián.

–Siempre aprendo mucho con estas historias –observó Tomás.

–Yo también –añadió Chantal.

—Pues me alegro mucho —dijo el anciano—. A mí me encanta leérselas. Y es cierto que enseñan muchas cosas.

—Recordaré este cuento —comentó Tristán—. ¡Qué bien que mis amigos me quieren tal como soy!

—Así es —le aseguró su abuelo acariciándole el cabello—. Bueno, será mejor que no hagamos esperar a sus padres. ¡Vuelvan pronto!

—¡Hasta la próxima! —se despidieron Damián, Chantal y Tomás.

Moraleja
Dios
nos ha
hecho
a todos
distintos. Cada
uno tiene algo
especial.

Guido el decidido

—Tristán, ¿estás listo? —preguntó el abuelo Diego mientras se ponía la chaqueta y la gorra.

—¡Ya voy! —respondió el niño bajando a saltos por la escalera.

—Estupendo. Es importante que no lleguemos tarde. Ven, te ayudo a ponerte la bufanda y la cazadora.

—Gracias, abuelito.

Una vez a la semana el abuelo llevaba a Tristán a la biblioteca, donde le encantaba leer historias a los niños del círculo de lectores. Iba silbando alegremente, con su libro favorito de cuentos debajo del brazo.

–¿Cuál vas a leer hoy? –le preguntó Tristán.

–Eso es un secreto –contestó el anciano sonriendo.

–¡Llegó el abuelo Diego!
–anunció Tomás cuando los
vio acercarse.

Los niños se sentaron cada
uno en su lugar y permanecieron
callados mientras entraba el abuelo.

–¡Hola, niños! –exclamó éste–. ¡Menudo
silencio hay aquí! ¡Qué agradable sorpresa!

Los niños dejaron escapar unas risitas.

—Buenas tardes, abuelo Diego —corearon.

—Buenas tardes a todos —saludó el abuelo mientras colgaba su gorra y su chaqueta—. El cuento de hoy tratará de un simpático cangrejo llamado Guido. ¿Empezamos?

–Espérenme –gritó Guido a sus amigos.

«¡Soy tan lento comparado con ellos! –pensó–. Nunca les puedo seguir el paso».

–Lo siento –exclamó Camila, dándose la vuelta y nadando hacia el cangrejo–. Te echaré una mano.

Acto seguido agarró una de sus pinzas y lo ayudó a alcanzar a los otros.

–Gracias –dijo Guido un poco triste.

«Mis compañeros me tienen que ayudar porque si no me quedo atrás. Debe de ser un fastidio tener un amigo como yo», pensó.

Aquel día se celebraba el Desfile de Peces Payaso. Cada año un cardumen de esos peces pasaba cerca del reino de Sabalia. Camila y sus amigos se dirigían al mejor lugar para ver el espectáculo: el Arrecife de la Estrella.

A la cabeza iban varios peces payaso que hacían piruetas. A continuación, una banda de música. Luego venía una compañía de bailarines. Y en la cola, unos peces payaso que agitaban serpentinas hechas de algas, formando bonitos diseños.

—¡Qué maravilla! —exclamó Camila emocionada—. ¡Cuánto me gustaría participar en el desfile!

—A mí me encantaría formar parte de la banda —comentó don Ramón.

—Podríamos hacer acrobacias —dijo Elvira.

Enseguida Augusto la lanzó hacia arriba; ella dio una voltereta y al caer se colgó de la cola del caballito de mar.

—Yo podría aprender a hacer figuras con serpentinas —señaló Gobi al tiempo que sacudía un pedazo de alga.

—Podríamos organizar todo un desfile —concluyó Camila— y presentar un espectáculo para nuestros familiares.

—¡Vayamos a ensayar! —propuso Elvira ilusionada.

Y los cinco se fueron

a preparar su presentación. Guido se quedó en el banco de coral viendo pasar el resto del desfile. «¿Qué haría yo en un desfile?», se dijo tristemente.

Entonces se fijó en una pececita payaso que se había enredado en su serpentina de algas y se había quedado muy rezagada. La serpentina le cubría hasta los ojos, de manera que no veía y andaba perdida, a tientas.

De pronto la pececita chocó con el coral, y su serpentina se quedó atascada. Tiró y tiró para liberarse, pero no lo consiguió.

–¡Socorro! –se puso a gritar–. Ayúdenme, por favor. ¡Estoy atrapada!

Guido escuchó sus gritos de auxilio y pensó en ir a ayudarla, pero luego se dijo: «Probablemente no podré soltarla. ¿Para qué lo voy a intentar?»

Una vez más oyó los gritos de la pececita.

«Será mejor que vaya a ver si puedo hacer algo», pensó.

Al oír que el cangrejo se acercaba, la pececita exclamó:

–¿Me ayudas?

–Lo intentaré –respondió Guido–, pero no creo que pueda hacer gran cosa. Tal vez debería ir a buscar a alguien más.

–Por lo menos prueba –dijo ella echándose a llorar.

–Por favor, no llores –le rogó él–. Procuraré ayudarte, aunque no soy muy fuerte. ¿Cómo te llamas?

–Guirlanda –respondió la pececita.

–Escucha, Guirlanda, voy a pegar un buen tirón para ver si consigo soltarte.

–De acuerdo –dijo ella–. Avísame para que yo también haga fuerza.

Guido introdujo sus pinzas en el coral.

–Creo que ya lo tengo. Vamos; a la una, a las dos y a las tres... ¡tira!

Los dos se pusieron a hacer fuerza, y luego de unos cuantos intentos se soltó un pedazo de coral.

–¡Ya estoy libre! ¡Gracias! –exclamó Guirlanda.

–Déjame que te desenrede la serpentina –ofreció el cangrejo.

Mientras él sostenía un extremo de la serpentina de algas, la pececita fue girando hasta quitársela de encima.

Finalmente le dio a Guido un gran abrazo.

–¡Eres todo un héroe! ¡Me rescataste! ¿Cómo te llamas?

El cangrejo se sintió tímido y dirigió la vista hacia abajo.

–Me... me llamo Guido –dijo tartamudeando–. Me alegro de haberte podido ayudar.

–¿Qué hacías por aquí?

–Estaba viendo el desfile con unos amigos; pero luego ellos se fueron y me quedé solo.

–Pues ¡qué bien que te quedaste! –comentó ella–, porque así me salvaste. Muchísimas gracias.

–De nada.

–Será mejor que me vaya, me esperan en casa –dijo la pececita–. ¡Guido, no sabes cuánto te lo agradezco! Chau.

Cuando el cangrejo salió en busca de sus amigos, se sentía más feliz. Se había dado cuenta de que, a pesar de su pequeño tamaño y de que no era capaz de hacer todo lo que ellos hacían, todavía podía ser útil.

–¿Ustedes se sienten a veces pequeños e inútiles como Guido? –preguntó el abuelo.

–Sí –respondieron los niños al unísono.

–A veces me gustaría ser como mi hermano mayor –indicó Damián–. Él sabe hacer muchísimas cosas. Yo, en cambio, soy chico, y me parece que no puedo ayudar mucho.

–La verdad es que toma tiempo aprender a hacer cosas –explicó el abuelo–. Pero pueden ayudar a sus papás de muchas maneras. ¿Se les ocurren algunas?

–Yo ayudo a mi mamá en el jardín –dijo Tristán.

–Yo a veces lavo el auto con mi papá –recordó Damián.

–Mi mamá me deja que la ayude a cocinar –señaló Chantal.

–Yo puedo recoger las cosas de la casa que están desordenadas –añadió Tomás.

–Aunque sean pequeños o no sepan hacer muy bien algunos trabajos, siempre pueden ayudar –concluyó el abuelo.

–¡Chau! –exclamaron los niños cuando el anciano y su nieto se encaminaron hacia su casa.

–Creo que eres el mejor abuelo del mundo –reflexionó Tristán–. Gracias por leernos cuentos. Nos enseñan muchas cosas.

–De nada –respondió el abuelo con una sonrisa–. ¿Sabes una cosa? Yo creo que tú eres un nieto estupendo.

Moraleja
Aunque seas pequeño y te sientas medio incapaz, verás que siempre hay cosas que puedes hacer para ayudar.

El susto de Augusto

—Tristán, ¡tu habitación está bastante desordenada! –observó el abuelo Diego–. Te pedí que guardaras los libros antes de sacar los juguetes.

–Quería jugar con los legos –contestó su nieto–. Estaba aburrido de leer libros.

–Comprendo que estuvieras aburrido –dijo el anciano–, pero hubieras debido obedecer.

–Es que no quería esperar para jugar con los legos. Pensaba recoger después los libros.

–Ser obediente es hacer enseguida lo que te mandan –explicó el abuelo–. Dejarlo para más tarde o para cuando tengas ganas no es obedecer, ¿verdad?

—No —reconoció el niño, negando con la cabeza.

—¿Sabes por qué es importante que aprendas a ser obediente?

Tristán reflexionó unos instantes.

—¿Porque a ti te gusta?

El abuelo se rió entre dientes.

—Ese es un buen motivo; pero lo principal es que hay veces en que es muy necesario obedecer para evitar que suceda algo malo.

—¡Ah!

—Por ejemplo, sabes que debes ponerte el casco para ir en bicicleta. Pero imagínate que un día decides no ponértelo porque te parece que no hace falta. ¿Qué pasaría si chocas o te caes?

—Me podría hacer mucho daño en la cabeza —dijo Tristán.

—¡Exactamente! Eso me recuerda un cuento sobre Augusto, en el que aprendió la importancia de obedecer.

—¿Me lo cuentas, abuelito?

—¿Qué tal si recoges el cuarto y cuando termines te lo cuento?

—De acuerdo —contestó el pequeño emocionado—. Lo haré enseguida.

Hacía un día magnífico en el mar. Los rayos del sol calentaban el agua y la hacían resplandecer. Augusto, posado en una roca, se entretenía lanzando piedritas.

«Estoy aburrido –se dijo bostezando–. Mis amigos andan ocupados, y no tengo a nadie con quien jugar. Me gustaría hacer algo divertido».

Se detuvo un momento a pensar. De pronto dio un brinco, y en su rostro se dibujó una sonrisa de emoción. «¡Me daré una vuelta por Punta Sombría!»

Punta Sombría quedaba en las inmediaciones del reino de Sabalia. Era un lugar peligroso que todas las sirenas, tritones y peces evitaban. Los padres de Augusto le habían advertido que no se acercara.

«Apuesto a que no es tan peligroso. Solo me quieren asustar –pensó–. ¡Será divertido! Voy a echar un vistazo y luego se lo contaré a mis amigos. ¡Los voy a impresionar!»

Antes de emprender la travesía hacia Punta Sombría, miró alrededor por si veía a alguien. No quería que nadie se enterara.

Al aproximarse al lugar, le dio la impresión de que el sol ya no brillaba con tanta intensidad. El agua estaba turbia y fría, poblada de enormes algas oscuras. Un poco más allá había un barco hundido.

«¡Increíble! –susurró mientras exploraba la zona–. A Guido y a Gobi les encantaría ver esto. Se les va a caer la baba cuando se lo cuente».

En ese momento oyó voces. ¡Eran tiburones! Un pez martillo y un gran tiburón blanco estaban enzarzados en una discusión. Augusto se escondió rápidamente entre las algas.

–Jaquetón, ¿por qué siempre tienes que escoger tú los juegos? –le preguntó Topetón, el pez martillo, al tiburón blanco.

–Porque soy más grande y fuerte que tú –contestó su compañero.

–¡Eso no es justo! –repuso Topetón–. Serás grande y fuerte, pero yo soy mucho más rápido.

–¡No es verdad! –dijo el tiburón blanco.

–Claro que sí –insistió el pez martillo–. Trata de agarrarme.

–¡Verás cómo te pillo! –dijo Jaquetón enojado.

Topetón salió disparado, y el tiburón blanco empezó a perseguirlo.

De pronto Augusto vio que el pez martillo iba directo

a las algas donde él se había escondido, por lo que se encaramó a una de ellas lo más rápido que pudo.

Pero al pasar Topetón a toda velocidad, Augusto perdió el equilibrio y fue a parar sobre el hocico de Jaquetón.

–Vaya, vaya, ¿a quién tenemos aquí? –se burló éste–. ¡Un precioso caballito de mar! ¿No te has alejado mucho de tu casa?

–¿Tus padres nunca te dijeron que no vinieras a Punta Sombría? –le preguntó el pez martillo.

Los dos tiburones se rieron a carcajadas.

El pobre Augusto temblaba de miedo.

–Por favor, no me coman –dijo con voz temblorosa.

–¡Se me ha ocurrido algo! –exclamó Topetón–. Juguemos con el caballito. Dejemos que se escape mientras contamos hasta veinte. Él se esconde, y luego lo vamos a buscar.

–¡Buena idea! ¿Listo, caballito? Nada todo lo rápido que puedas.

–Uno... dos... tres... –comenzaron a contar Jaquetón y Topetón.

Augusto se alejó a toda velocidad en dirección a un banco de coral, con la esperanza de llegar allí antes de que los tiburones lo alcanzaran.

–Diecinueve... y ¡veinte! –gritaron Jaquetón y Topetón, que enseguida salieron disparados en pos del caballito de mar.

Augusto acababa de llegar al banco de coral y se las arregló para meterse en una hendidura donde esperaba que los tiburones no lo pudieran agarrar.

Allí hizo una oración: «Dios mío, perdóname por no haber hecho caso de mis padres, que me advirtieron que no viniera aquí. Te ruego que me ayudes. No dejes que los tiburones me agarren».

Topetón y Jaquetón daban vueltas alrededor del banco de coral en busca de Augusto.

–Caballito de mar... –llamaban–, ¿dónde estás?

Augusto permanecía en silencio.

Luego de varios minutos, ninguno de los dos había conseguido encontrarlo.

–Por eso no te dejo escoger los juegos –le dijo Jaquetón, enfadado, al pez martillo–. Eliges juegos tontos que no son divertidos.

–Era un buen juego –repuso Topetón–. Sólo estás enojado porque el caballito se escapó.

–Sí, estoy fastidiado. No me irrites más.

Los dos tiburones se alejaron discutiendo.

Augusto soltó un suspiro de alivio. «Gracias, Dios, por protegerme. Prometo ser más obediente y hacer caso de las recomendaciones de mis padres».

Con cuidado, regresó a su casa.

«Ahora sí que tengo algo que contarles a los demás –se dijo–. No pienso desobedecer más».

–¡Pobre Augusto! ¡Menudo susto! –comentó Tristán–. Me alegro de que los tiburones no lo encontraran.

–Fíjate que si hubiera obedecido desde un comienzo no se habría metido en ese peligro –señaló su abuelo.

–Ahora comprendo por qué debo ser más obediente –reflexionó el niño–, aunque me manden hacer algo que no me apetece o que no entiendo. Si obedezco, me sentiré más feliz.

–Y probablemente evitarás meterte en líos –agregó el anciano–. A propósito, tu habitación se ve muy bonita y ordenada. Gracias por obedecer y recogerlo todo.

Tristán se acercó a su abuelo y le dio un abrazo.

–Me alegro de que estés contento de que haya obedecido.

¡Es muy importante aprender a obedecer! A veces cuesta; pero cuando lo hacemos, nos sentimos mejor.
Moraleja

Amistad en Navidad

Era Nochebuena. Tristán y Chantal estaban preparando tarjetas de Navidad para entregar a sus familiares y amigos.

–Tristán, necesito el lápiz azul –dijo su amiga.
–Yo también –contestó el niño.
–Pero no lo estás usando.
–Lo voy a usar.
La pequeña extendió la mano y tomó el lápiz.

–¡Devuélvemelo! –exigió Tristán enojado.

–Lo estoy usando –respondió Chantal–. Te lo doy cuando termine.

–¡Dámelo ahora!

Tristán le arrebató el lápiz a Chantal; pero como en ese momento ella estaba coloreando, sin querer hizo una raya en la tarjeta de su amiga.

–¡Mira lo que hiciste! –protestó ella echándose a llorar.

–¿Qué pasa? –preguntó el abuelo Diego.

–¡Tristán me ha arruinado la tarjeta! –exclamó la niña.

–Fue culpa de ella –replicó Tristán–. No hubiera debido quitarme el lápiz.

–Tengo una idea –dijo el anciano–. ¿Qué les parece si les cuento un incidente similar que ocurrió entre Augusto y Guido? Tal vez les sirva para entenderse mejor.

–Colguemos aquí estos adornos –propuso Gobi.

Él y don Ramón sostenían cada uno un extremo de un alga colorida.

–Camila, ¿cómo se ve? –pregunto el viejo pez globo.

—Está bien —contestó ella tristona.

—No te gusta, ¿eh? —le dijo Gobi preocupado

—Ya he dicho que está bien —respondió ella.

—¿Te duele la cola? —le preguntó don Ramón.

—En realidad no... a menos que la mueva —explicó la sirena.

—Entonces, ¿qué te pasa?

Camila suspiró.

–Me gustaría no tener que estar en la cama. Quiero ayudar a poner adornos, quiero divertirme. Pero no puedo... por culpa de mi cola. ¡Qué rabia!

Camila se había lastimado dos días antes jugando en el banco de coral. Un pedazo grande de coral se le había caído en la cola y le había hecho una herida.

La Navidad era una fiesta muy importante para ella, y tener que guardar cama con la cola lastimada no le parecía nada divertido. Sus amigos habían ido a animarla; pero aún estaba un poco alicaída.

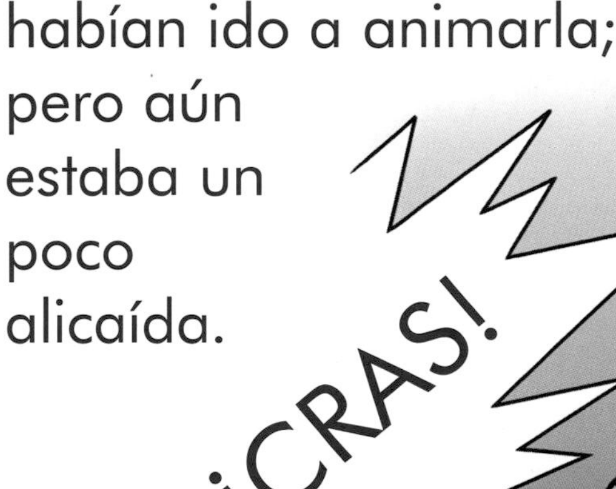

De pronto se oyó un estruendo en el patio, seguido de gritos de enojo.

–¿Qué pasa? –preguntó Camila.

–Son Augusto y Guido –dijo Gobi.

–Parece que no se llevan muy bien –explicó don Ramón–. Enseguida vuelvo.

Guido y Augusto habían estado juntando conchas, trozos de coral y algas coloridas para decorar la habitación de Camila. El caballito de mar estaba impaciente por mostrarle a la sirena lo que habían encontrado. El cangrejo, por su parte, se sentía cada vez más irritado con su amigo.

–¡Mira lo que encontré! –anunció Augusto al acercarse a la casa de Camila.

Pero cuando se adelantó para enseñárselo, Guido le agarró la cola y lo derribó. Todo lo que llevaba se desparramó por el suelo.

–¡¡GUIDO!! –gritó Augusto–. ¡Mira lo que has hecho!

–¡Lo tienes bien merecido!

–¿Por qué me agarraste? –le preguntó Augusto muy enfadado.

–Estoy harto de oírte presumir –contestó Guido–. ¡Recuerda que esas cosas las reunimos juntos, no tú solo! Te has pasado toda la mañana hablando de lo que juntaste para Camila, sin tener en cuenta que también hay cosas que yo encontré.

–¡Mentira! –replicó el caballito de mar.

–¡Es la pura verdad! –insistió el cangrejo.

Entonces comenzaron a pelearse y a darse empujones.

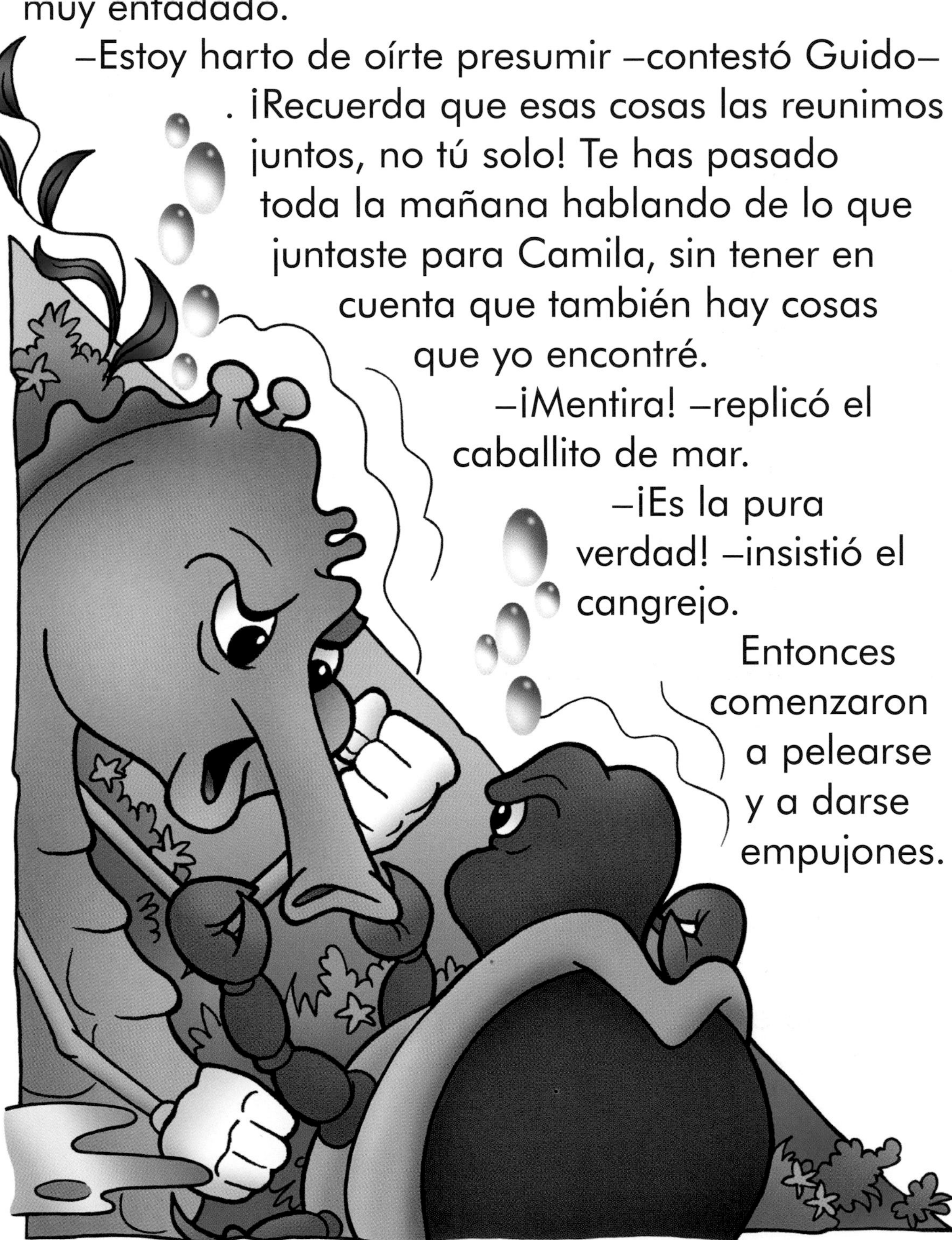

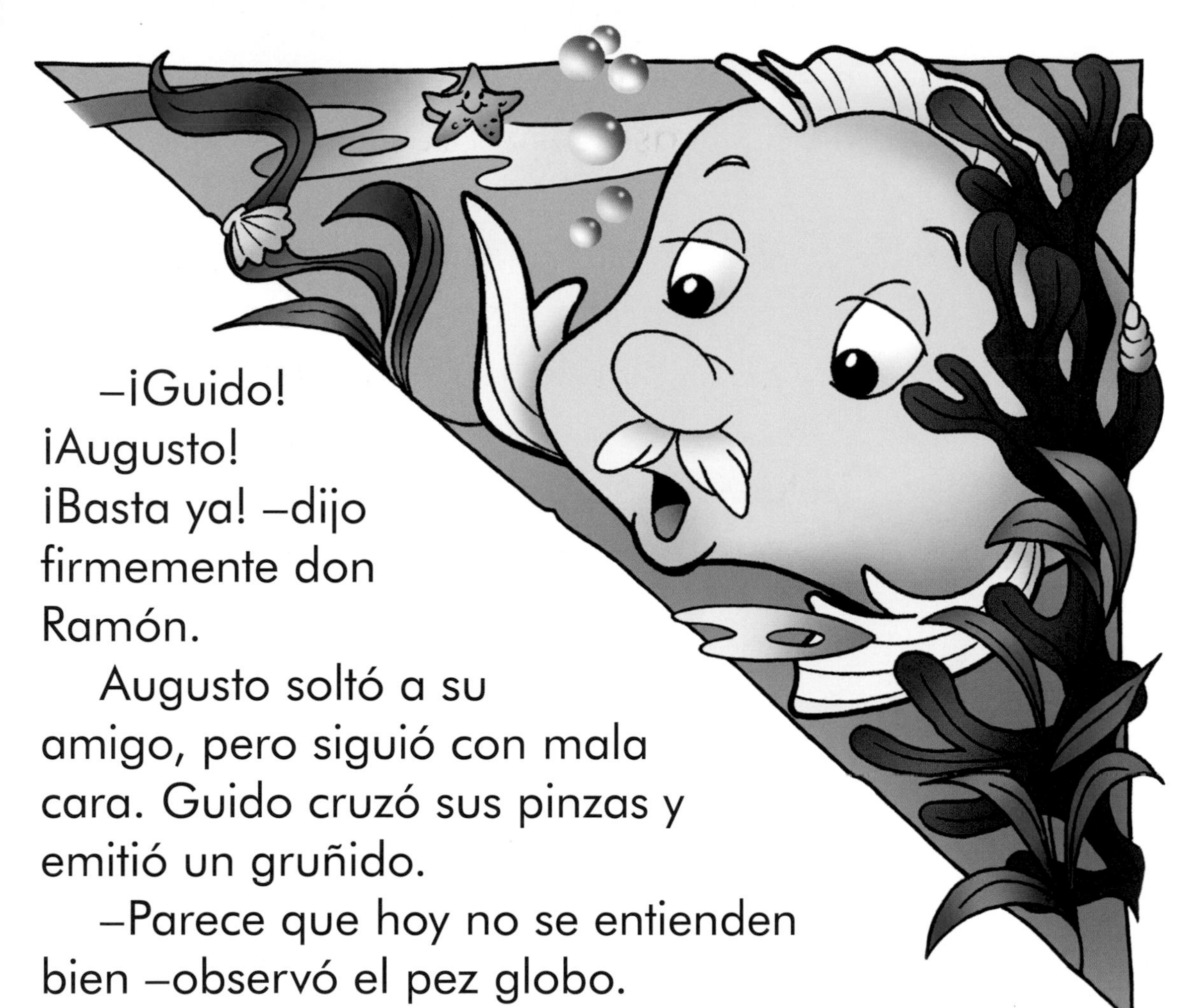

–¡Guido! ¡Augusto! ¡Basta ya! –dijo firmemente don Ramón.

Augusto soltó a su amigo, pero siguió con mala cara. Guido cruzó sus pinzas y emitió un gruñido.

–Parece que hoy no se entienden bien –observó el pez globo.

–Es culpa de Guido –declaró Augusto.

–¡Mentira! –espetó Guido.

–No les pregunté de quién era la culpa –aclaró don Ramón–. De nada sirve discutir sobre lo que uno u otro ha hecho mal. Debemos resolver este conflicto sin pelear ni reñir. Pero para ello, los dos tienen que escucharse. ¿De acuerdo?

Ambos asintieron con la cabeza.

–Guido, ¿por qué no explicas tú primero qué fue lo que te molestó? –propuso don Ramón–. ¿Qué ocurrió?

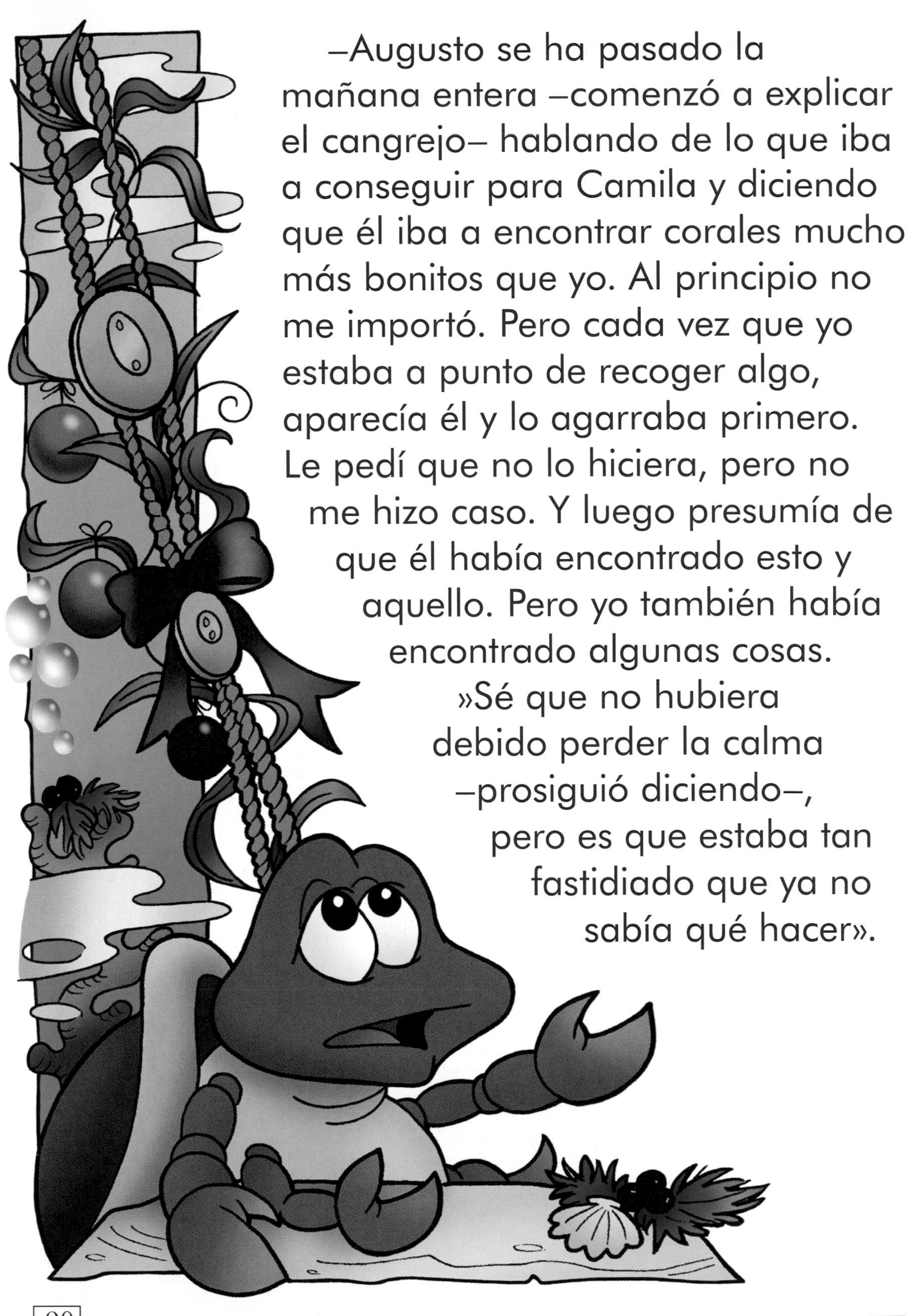

–Augusto se ha pasado la mañana entera –comenzó a explicar el cangrejo– hablando de lo que iba a conseguir para Camila y diciendo que él iba a encontrar corales mucho más bonitos que yo. Al principio no me importó. Pero cada vez que yo estaba a punto de recoger algo, aparecía él y lo agarraba primero. Le pedí que no lo hiciera, pero no me hizo caso. Y luego presumía de que él había encontrado esto y aquello. Pero yo también había encontrado algunas cosas.

»Sé que no hubiera debido perder la calma –prosiguió diciendo–, pero es que estaba tan fastidiado que ya no sabía qué hacer».

–Ya veo –musitó el pez globo.

Luego se dirigió al caballito de mar.

–¿Te diste cuenta de que estabas haciendo que Guido se sintiera mal?

Augusto lo negó con la cabeza.

–Yo solo quería hacer algo lindo para Camila –explicó–. No era mi intención enojar a Guido... aunque por lo visto eso hice.

–¡Magnífico, entonces! –exclamó don Ramón.

Augusto y Guido lo miraron extrañados.

–¿Qué quiere decir? –preguntó el cangrejo.

–Bueno –expuso don Ramón–, ahora que los dos ya saben por qué el otro estaba enfadado, les resultará más fácil hacer las paces.

El caballito de mar suspiró.

–Guido, siento haberte molestado. No me di cuenta de que lo que hacía te fastidiaba tanto; de lo contrario, no lo habría hecho.

–Yo siento haberme enojado tanto contigo –reconoció Guido–. Perdóname, por favor.

–Por supuesto –contestó Augusto.

Los dos amigos le agradecieron al pez globo su intervención.

–Bueno, no hagamos esperar más a Camila –sugirió éste.

–¡Están
de vuelta!
–exclamó
alegre la
sirena.

–Guido
y yo hemos
encontrado
un montón
de
adornos
bonitos
–anunció
Augusto.

Echaron encima de la cama los corales, las conchas y las algas coloridas, y los cinco se pusieron a estudiar cada objeto para decidir en qué lugar de la habitación de Camila lo colocarían.

–Muchísimas gracias –dijo ella–. Tengo unos amigos maravillosos. A raíz de mi accidente, pensé que esta Navidad sería aburridísima. Sin embargo, gracias a ustedes lo estoy pasando estupendamente.

–Tú siempre nos has echado una mano cuando las cosas no nos iban muy bien –explicó Augusto.

–Feliz Navidad, Camila –le deseó el cangrejo–. Y Feliz Navidad a todos ustedes, mis queridos amigos.

—No hubiera debido ser tan egoísta —reconoció Tristán—. En realidad no me hacía falta el lápiz en ese momento. Podía habértelo dejado.

—Tampoco estuvo bien que yo te lo quitara —admitió Chantal—. Habría podido pintar con otro hasta que tú terminaras. Lo siento.

—¿Se dan cuenta? —dijo el abuelo Diego—. Es posible encontrar una solución sin necesidad de enojarse y pelearse.

—¿Ahora podemos terminar las tarjetas? —preguntó su nieto.

—Por supuesto. La verdad es que están saliendo preciosas. A todos les encantarán.

Moraleja

Los problemas no se resuelven discutiendo y peleando. Por lo general de esa manera sólo nos enfadamos más unos con otros. Con un poco de amor y consideración se obtienen mejores resultados.

Moralejas presentadas en

TESOROS DEL MAR

Los cuentos de este libro exponen de forma entretenida las siguientes enseñanzas formativas:

- La amistad es un don de Dios. Al abrirnos a los demás, hacemos amigos y hallamos felicidad *(A ver si consigo un amigo)*.
- ¡Mira el lado bueno de las cosas! Anímate y recuerda todo lo que tienes y todas las personas que te quieren. Así te sentirás mejor *(El bajón de don Ramón)*.
- Dios nos ha hecho a todos distintos. Cada uno tiene algo especial *(La mentira de Elvira)*.
- Aunque seas pequeño y te sientas medio incapaz, verás que siempre hay cosas que puedes hacer para ayudar *(Guido el decidido)*.
- ¡Es muy importante aprender a obedecer! A veces cuesta; pero cuando lo hacemos, nos sentimos mejor *(El susto de Augusto)*.
- Los problemas no se resuelven discutiendo y peleando. Por lo general de esa manera sólo nos enfadamos más unos con otros. Con un poco de amor y consideración se obtienen mejores resultados *(Amistad en Navidad)*.

Cuentos del abuelito

CUADRILLA y CÍA.

Pepe Volquete, Carmen Pluma, Camión Grúa, los hermanos De Hormigón y la optimista Mini forman parte de una cuadrilla de infatigables vehículos para la construcción. Cada uno de ellos, bajo la sagaz vigilancia del capataz, desempeña un importante papel en la realización de las obras.

- ✓ Terminar lo que se comienza
- ✓ Seguir instrucciones
- ✓ Hacer cada cosa a su tiempo
- ✓ Zanjar disputas
- ✓ Ayudar a los demás
- ✓ Trabajar en equipo

CHIQUISAURIOS

En la serie *Chiquisaurios* nos vemos transportados al mundo de un grupo de pequeños dinosaurios. Cuando Patricio, sin querer, pisotea el jardín de su hermana Dina, todos los amigos dan una mano para arreglar lo que se ha estropeado. Yago echa a perder una excursión por negarse a dormir, pero el incidente les reporta buenas enseñanzas. Una sorpresiva invitación a un banquete estimula a Viviana a mejorar sus modales.

- ✓ Consideración
- ✓ Buenos modales
- ✓ Salud
- ✓ Obediencia
- ✓ Perdón
- ✓ Decir la verdad
- ✓ Resolver desacuerdos